Je remercie Benedict, George et Nigel — ma famille —,
Sarah Davies de l'école Holy Trinity de Pewley Down à Guilford,
la National Autistic Society et Jane Green.
Un grand merci aussi à Denise Johnstone-Burt,
à toute l'équipe de Walker Books et à mon agent Laura Cecil
pour leur soutien et leurs encouragements.

Melanie Walsh

Traduction de Marie Ollier

ISBN: 978-2-07-058924-1
Titre original: *Isaac and His Amazing Asperger Superpowers!*
Publié pour la première fois par Walker Books, Londres, 2016
© Melanie Walsh 2016
© Gallimard Jeunesse 2016, pour l'édition française
Numéro d'édition: 295413
Loi n° 49-956 du 16 juillet 1949
sur les publications destinées à la jeunesse
Dépôt légal: février 2016
Imprimé en Chine
Maquette édition française: Laure Massin

Oscar et ses super-pouvoirs!

Melanie Walsh

Gallimard Jeunesse

Je m'appelle Oscar et je suis un super-héros!

À cause de mes pouvoirs extraordinaires,
je ne suis pas tout à fait comme
mon frère ou les autres enfants de l'école.
Il y en a qui me traitent d'idiot.
C'est parce qu'ils n'ont rien compris.

J'ai un cerveau très spécial. Il enregistre tout.
J'adore en faire profiter les autres
en leur racontant tout ce que je sais.

chat
fusée
serpent

600

Mais cela les fatigue vite.

Pas moi! J'ai une énergie
de super-héros. Je peux sauter
sur mon trampoline pendant
des heures. J'adore ça.

Mais je déteste le foot.
Parce qu'il faut tout le temps
courir dans la boue.
On glisse. On s'en met partout.
J'ai horreur de ça.

Euh...
Bonjour.

Ce qui est pénible aussi
pour les super-héros,
c'est de penser
à tous ces trucs bizarres
qu'on est censés faire.
Comme dire bonjour
aux gens que l'on connaît.
Quand j'oublie, ce n'est pas
parce que suis malpoli.

Heureusement, mon chien et mon chat,
ils me comprennent et ils m'aiment
comme je suis. Avec eux, tout est simple.
Et puis eux, ils écoutent toujours
ce que j'ai à leur dire.

La maîtresse, elle sait que je suis
un super-héros. Alors elle me laisse
venir en classe avec mon jouet préféré.
Ça me rassure et comme ça, j'écoute mieux.

« Miaou » dit le petit chat.
Maman était en colère !

Ffff

Comme je suis un super-héros, j'aime bien dire aux gens
à quoi ils ressemblent, pour leur rendre service.

Mais ma maman dit qu'il vaut mieux garder ces pensées pour soi car les gens n'apprécient pas toujours.

Il y a des phrases que les super-héros n'apprécient pas non plus. Par exemple, un jour, mon frère m'a dit que si je mangeais trop, mon ventre allait éclater...

Quelle horreur! J'ai du mal à comprendre certaines blagues.

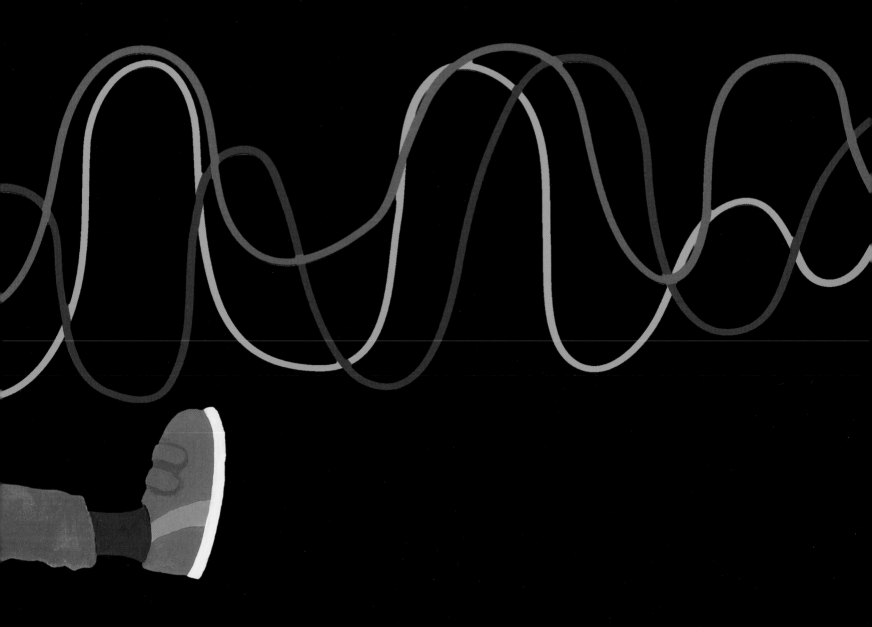

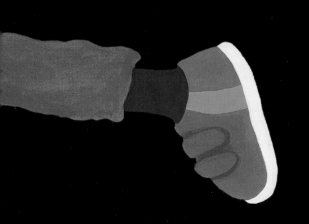

Mes oreilles, elles entendent
absolument tout. Même le bruit
des lampes dans les magasins.
Ça peut être très douloureux.
Alors parfois, je crie très fort.

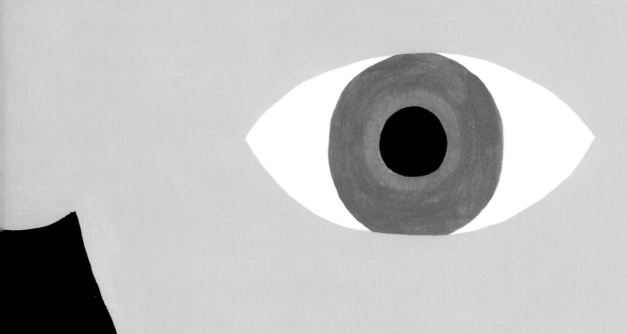

Regarder les gens
dans les yeux,
ça me fait peur.

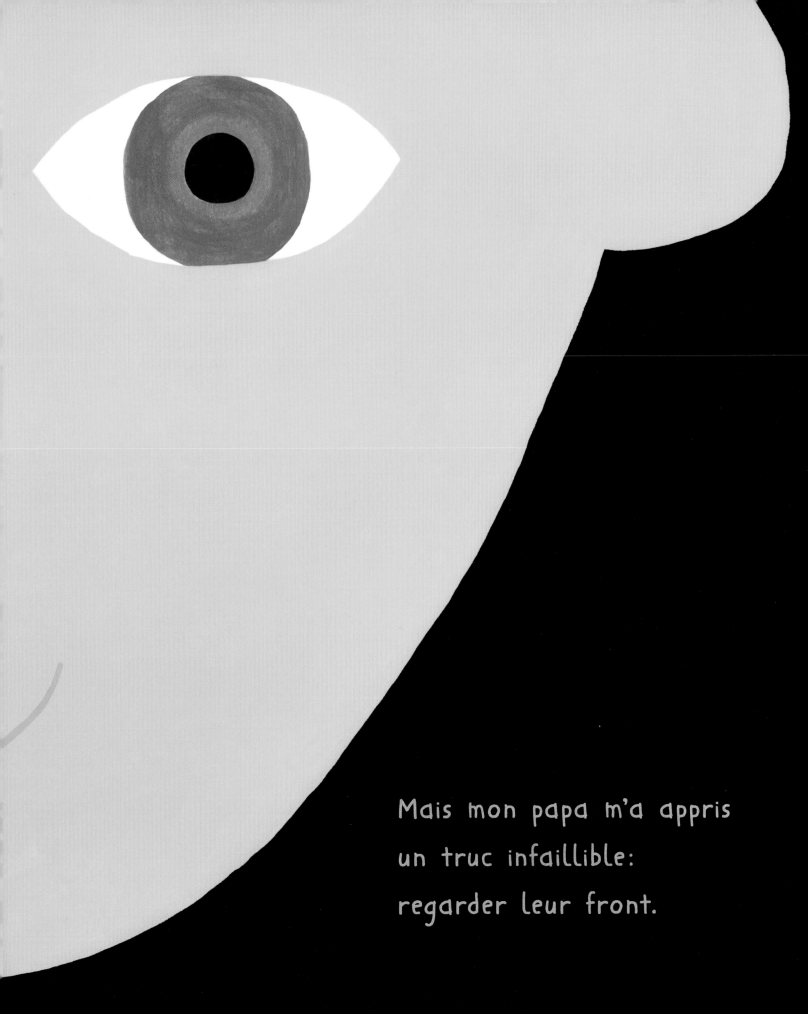

Mais mon papa m'a appris
un truc infaillible:
regarder leur front.

Les super-héros ont des yeux qui voient
tous les petits détails. Des fois, à la récré,
j'aime bien jouer à trouver des trésors
que les autres n'ont pas vus.

Bon, tu l'as peut-être deviné: je ne suis pas vraiment un super-héros. Je suis atteint du syndrome d'Asperger (ça rime avec hamburger). C'est une forme d'autisme.

ça ne s'attrape pas. C'est juste mon cerveau qui fonctionne un peu différemment.

Mais en tout cas,
j'adore jouer
aux super-héros
avec mon frère.
Il me comprend, lui.
Et maintenant, toi aussi!